LOUIS LAVELLE
PROFESSEUR AU COLLÈGE DE FRANCE

Leçon inaugurale

faite au

COLLÈGE DE FRANCE

le 2 Décembre 1941

Édition : BoD – Books on Demand

Impression : BoD - Books on Demand, Norderstedt, Allemagne

ISBN : 9782322418947

Dépôt légal : avril 2022

Mesdames, Messieurs,

Au moment de commencer cette leçon inaugurale, je suis heureux d'exprimer mes remerciements et ma reconnaissance à l'Assemblée des professeurs du Collège de France qui m'a fait l'honneur de me désigner par son vote pour occuper la chaire de philosophie dont la vacance venait d'être déclarée et à Monsieur le Secrétaire d'État à l'Éducation Nationale qui a bien voulu agréer et confirmer par sa décision la proposition de cette assemblée. Mais ce n'est pas sans émotion que je mesure la responsabilité qu'ils m'ont cru capable de porter, d'abord en maintenant cet enseignement traditionnel de la philosophie pure qui doit satisfaire aux ambitions les plus hautes de la réflexion humaine, mais auquel il n'y a pas un esprit sincère qui ne craigne de se sentir inégal, ensuite en me proposant comme modèles les maîtres illustres qui m'ont précédé dans cette chaire et dont la présence, je l'espère, y demeurera toujours vivante, enfin en m'obligeant à soumettre ma propre pensée à un examen sévère pour discerner en elle ce qui est digne d'en être communiqué à un auditoire si attentif et si cultivé et pour ne point manquer, en face des besoins les plus profonds et les plus constants de la conscience et dans la situation anxieuse où notre époque l'a placée, à ce qu'elle est en droit d'attendre et d'espérer.

La philosophie est de toutes les disciplines de l'esprit celle à laquelle nous demandons le plus et qui nous émeut le plus profondément. Quand on feint d'ignorer ce qu'elle est, c'est pour témoigner qu'elle n'a point d'objet propre, comme la grammaire ou la physique, et que nous ne pouvons la distinguer de notre vie elle-même dès qu'elle commence à s'interroger sur son propre destin. Elle fait taire toutes nos préoccupations particulières, elle interrompt toutes les besognes dans lesquelles nous étions engagé pour nous mettre en face de nous-même et nous obliger à chercher le sens de cette existence qui nous est donnée et qu'il nous appartient de remplir : mais elle ne nous sépare du monde que pour nous permettre d'en découvrir l'essence cachée, elle ne nous divertit de nos tâches les plus familières qu'afin de donner à la plus humble une lumière intérieure qui la justifie.

Nous sentons tous que la découverte philosophique doit résider dans une vue très simple que nous cherchons à obtenir sur ce tout de l'Être où notre être propre vient s'inscrire par un miracle de tous les instants ; mais c'est cette vue très simple qui est aussi la plus difficile à acquérir.

Elle traverse parfois notre pensée comme un éclair, mais il est presque impossible de la maintenir et de la fixer. Il arrive que l'accumulation de nos connaissances la trouble, au lieu de la confirmer et de l'étendre. Nous ne parvenons qu'avec la plus grande peine à la traduire par des mots ; et les difficultés du langage philosophique, l'abstraction qu'on lui reproche, sont l'effet de cette gageure par laquelle, sans rien altérer de sa pureté, nous voulons pourtant en prendre possession par l'analyse, en retrouver la présence dans tout ce que nous sommes capables de voir, de penser et de sentir. Aussi n'y a-t-il qu'une philosophie, comme il n'y a qu'un monde : et les différences que l'on observe en elle mesurent seulement son degré de profondeur. C'est pour cela aussi que la philosophie ne connaît pas le même progrès dans le temps que les sciences de l'univers matériel : Platon, Saint Thomas, Descartes, si l'on néglige ce qui les rattache à leur époque, c'est-à-dire le langage, les mœurs et l'état de leurs connaissances, si l'on cherche le centre indivisible de leur pensée et leur intention la plus secrète, sont nos contemporains. C'est pour cela enfin que la philosophie, comme la vie qui recommence chaque matin, est toujours identique et toujours nouvelle : c'est qu'il n'y a en elle aucun objet que l'on rencontre et que l'on quitte, qui nous séduit ou qui nous rebute. C'est qu'elle est la conscience elle-même qui ne cesse de se créer par une constante attention à cette intimité du réel où chaque chose se découvre à elle dans son état naissant, au point où le temporel semble s'écouler de l'éternel.

Telle est l'idée de la philosophie que se sont faite mes deux prédécesseurs dans cette chaire. Monsieur Édouard Le Roy avait succédé à Henri Bergson en 1921 : il le suppléait depuis six ans déjà. Son esprit s'était attaché depuis longtemps à cette « philosophie nouvelle » sur laquelle il avait écrit un petit livre, qui semblait inaugurer une sorte de renaissance spirituelle : nul penseur de notre pays ne lui est demeuré plus fidèle et n'a gardé à son égard pourtant plus de liberté. Monsieur Édouard Le Roy était venu des mathématiques à la philosophie ; par un exemple rare, il n'a cessé de donner ces deux enseignements à la fois : mais la rigueur même à laquelle une telle science l'avait accoutumé l'obligeait à s'interroger sur le fondement de cette satisfaction qu'elle donnait à son esprit dans le domaine qui était le sien, et qui demeurait pourtant sans contact avec ses aspirations les plus profondes et les plus essentielles. De là la sympathie qu'il devait marquer de bonne heure pour une pensée qui faisait de l'intellect un instrument destiné, comme il l'était peut-être déjà pour Descartes, à régler notre action sur les choses et à nous en rendre maître, mais qui cherchait à surprendre au fond de notre conscience dans la pure intuition que nous avons de la vie une sorte de genèse spirituelle de nous-même et de tout le réel. Tandis que l'analyse ne cesse de découper la réalité en objets et en concepts séparés qui sont toujours en rapport avec nos besoins, l'intuition, changeant la direction de notre regard, retrouve à sa source même la continuité de l'élan qui anime notre propre vie et qui la dépasse, mais qu'elle cherche toujours à accueillir et à promouvoir. Que l'on ne pense pas qu'une telle manière de philosopher rende inutiles tous les efforts de la réflexion, puisque c'est la réflexion elle-même qui, nous détournant du spectacle que le monde nous donne, nous permet de chercher la présence au fond de nous-même de l'acte qui nous fait être, ni qu'elle méprise ces raisons logiques qui sont les seules garanties de notre pensée, bien que ces raisons, au lieu de fonder l'expérience que nous prenons de la vie, se fondent au contraire sur elle, semblables à un faisceau de lumière qu'elle produit et qui l'enveloppe de ses rayons.

L'idée centrale de Monsieur Édouard Le Roy, c'est que la vie est un pouvoir d'invention qui ne cesse de multiplier et de renouveler ses propres créations, dont les plus pures et les plus hautes sont les créations de l'esprit. C'est le même élan indivisé qui soulève tout l'univers et produit tour à tour une forme végétale ou animale, une idée nouvelle, une œuvre d'art ou un acte de charité. Mais cet élan risque toujours de fléchir et de retomber : alors il cède aux lois de l'inertie et de la moindre action. Il s'emprisonne dans la matière, dont il aura désormais à vaincre les résistances, dans l'habitude, où la liberté se change sans cesse en nature. Et ce n'est pas sans une certaine anxiété, mais qui doit redoubler notre courage, que nous voyons les lois du monde matériel produire toujours l'effet le plus probable et l'action libre, l'effet le plus improbable.

Ainsi, l'intuition ne se borne pas à approfondir la conscience solitaire que nous avons de nous-même : car cette conscience adhère à tout le réel ; elle ne cesse de plonger dans l'obscurité de ses origines cosmiques dont elle s'est peu à peu dégagée comme une aube qui annonce le jour ; et elle ne cesse de remonter jusqu'au foyer où elle emprunte sa lumière. Aussi a-t-on vu Monsieur Édouard Le Roy s'attacher tour à tour à scruter avec autant de probité que de science les problèmes de l'évolution pour décrire cette admirable réussite par laquelle l'homme s'est délivré peu à peu des chaînes de l'animalité qui menaçaient sans cesse de l'asservir, et chercher dans le problème de Dieu, avec toute sa sincérité et toute son ardeur intérieure, à élever notre âme vers cette puissance de tout créer qui nous rend à notre tour créateur de nous-même. C'est ici sans doute que Monsieur Édouard Le Roy nous découvre moins encore le dernier terme de sa doctrine que l'inspiration qui la pénètre et qui la féconde. Le problème de Dieu est pour lui le même que le problème de l'esprit humain : Dieu est l'objet d'une expérience qui est au fond même de notre inquiétude et que nous n'avons jamais fini d'épurer. C'est lui qui surmonte toutes les formes de la séparation, celle que produit hors de nous la matière et, en nous-même l'égoïsme. Il rend possible la coordination de toutes les pensées et de toutes les volontés. Il est non seulement ce par quoi je pense et qui est présent à toutes mes pensées, mais ce par quoi je veux, d'une volonté plus profonde que mes volontés particulières, qui les fonde et qui les justifie, bien que celles-ci la trahissent toujours.

Mais il est impossible de parler de Monsieur Édouard Le Roy et de prononcer le nom même de la chaire dans laquelle il a maintenu pendant vingt-six ans la tradition du spiritualisme français, sans évoquer la mémoire d'Henri Bergson qui s'est éteint au début de cette année après la carrière la plus glorieuse, dont les cours autrefois attiraient notre jeunesse par cette sorte de secret spirituel qu'ils laissaient pressentir et que nous n'achevions jamais de convertir en doctrine, dont les livres n'ont cessé d'être relus par plusieurs générations depuis un demi-siècle sans que personne puisse être sûr d'en avoir pénétré l'essence la plus subtile. Nul philosophe n'a paru d'abord plus aisé, plus éloigné de toute technicité, plus plein de grâce et d'enveloppement : mais nul aussi n'est peut-être plus difficile, plus insaisissable, plus plein de détours et de lointains. Nul n'a exercé une influence plus étendue ni plus profonde : on oserait à peine dire qu'il a eu un véritable disciple. Et pourtant, on ne saurait contester qu'il y ait une sorte de révolution bergsonienne, comme il y a eu une révolution cartésienne et qu'elle lui soit semblable et contraire. Elle lui est semblable parce que, comme toutes les révolutions philosophiques, elle est un retour vers cette intériorité de l'être à lui-même où le moi cherche un contact personnel avec l'absolu ; et elle lui est contraire, au moins en apparence, parce que, au lieu de mettre notre confiance dans l'acte de l'intelligence qui cherche à produire le réel, comme il produit les mathématiques, elle la met dans l'acte de la vie qui est nôtre et plus que nôtre, qui descend jusque dans l'intimité de notre corps et monte jusqu'à la pointe de l'esprit pur. Telle est la raison aussi pour laquelle le cartésianisme est une méthode qui oblige notre pensée, tandis que le bergsonisme est une atmosphère où elle respire.

Ce serait méconnaître sans doute le message d'Henri Bergson que de vouloir l'enfermer dans le contour arrêté d'une doctrine : en ce sens on peut dire qu'il va au delà de toutes les doctrines. Il tient tout entier dans la résonance de certains mots très simples et très mystérieux comme ceux d'intuition, de durée, de mémoire pure, d'élan vital, de clos et d'ouvert, qui agissent sur nous à la manière d'un charme parce qu'ils découvrent en nous cette infinité vivante dont nous sommes les membres et que nous pouvons tantôt interrompre pour la confisquer à notre profit et tantôt assumer dans une sorte de générosité désintéressée et créatrice. Il y a dans toute cette philosophie une fluidité presque immatérielle où tous les concepts semblent se dissoudre : mais ce n'est pas par cette facilité imprécise qui est un renoncement à l'analyse ; c'est plutôt par cette exigence de rigueur qui, poussant l'analyse jusqu'au dernier point, retrouve toujours en elle la continuité qui la supporte et qu'elle ne réussit jamais tout à fait à briser. Il n'y eut point sans doute d'esprit plus attentif au réel qu'Henri Bergson, plus soucieux de ne le jamais quitter, plus exact à le décrire, plus subtil à saisir toutes ses nuances, à distinguer de ses assises profondes les formes passagères qui le dissimulent et avec lesquelles on le confond presque toujours.

On en a fait le philosophe du devenir, un nouvel Héraclite. Et le langage même dont il s'est servi nous invitait à le regarder comme tel. Mais les contraires sont voisins. Cet esprit si aigu et si maître de lui semble nous incliner vers l'indétermination et vers l'abandon : on peut penser que c'est une indétermination plus difficile que toutes les définitions, un abandon plus laborieux que tous les refus. Il nous demande de ne point laisser notre activité intérieure s'emprisonner dans des termes immobiles : l'objet, le concept, l'habitude, où elle viendrait se briser et mourir. Mais en nous pressant de les dépasser toujours, il nous oblige à retrouver sa source incorruptible et indivisée. Comme on ne rencontre l'immédiat qu'en triomphant de toutes les médiations et la spontanéité de la vie qu'en résistant à tous les obstacles qui en arrêtent le cours, on ne s'engage aussi dans le devenir que pour éviter d'être paralysé par l'immobile, on ne quitte l'espace pour la durée qu'afin d'obtenir une présence constante à la création de soi-même et du monde. Car ce qui compte ici, c'est beaucoup moins le flot mouvant du créé que l'élan qui, à chaque instant, le produit. Péguy ne s'y est pas trompé, lui qui a admiré Bergson plus qu'aucun homme au monde, parce qu'il nous révélait, non pas, comme on pourrait le croire, la valeur métaphysique du temps, mais la valeur métaphysique du présent, toujours nouveau, frais et créateur et qui en chaque instant ne cesse de donner naissance à son propre avenir comme à son propre passé. En lui le temps se ramasse et s'abolit. Loin que ce soit le temps qui engendre tout ce qui est, c'est le présent qui engendre le temps avec tout ce qui le remplit. Peut-être même que pour saisir la signification la plus profonde de la pensée bergsonienne il faudrait, au lieu, comme on est tenté de le faire, de regarder vers l'avenir comme vers le terme de toutes les espérances et de toutes les promesses, regarder vers le passé qui, loin d'être un passé révolu, est un passé vivant où tout retourne à la fin, non point, comme on le croit, pour y mourir, mais pour nous donner la possession spirituelle de tout notre présent. Ce serait *Matière et Mémoire* plutôt que *l'Évolution créatrice* qui serait alors le grand livre d'Henri Bergson et on peut penser qu'il na point encore achevé de nous livrer tout son secret.

La pensée de M. Édouard Le Roy et celle d'Henri Bergson peuvent être considérées comme exprimant les caractères essentiels de la philosophie française telle qu'elle s'est constituée à l'époque de Descartes, telle qu'elle s'est développée ensuite avec une admirable continuité à travers la diversité des tempéraments individuels. À ces caractères, tout penseur de notre pays doit demeurer fidèle sous peine de n'y trouver qu'une audience incertaine et momentanée. Nous dirons donc que toute philosophie française est d'abord une philosophie de la conscience : elle prête peu de crédit à l'inconscient ou le relègue dans les parties basses de notre nature que le propre de la conscience est précisément de pénétrer et d'éclairer. Elle ne renonce pas aisément aux idées claires et distinctes, non pas qu'elle mette la clarté au-dessus de la profondeur, mais elle sait que la clarté dans les choses profondes est une facilité atteinte difficilement. Elle ne méprise pas le sentiment, mais elle sait qu'il est comme une flamme obscure qui, lorsqu'elle est nourrie de matériaux assez purs, se change en un rayon de lumière. Elle plonge dans l'expérience la plus commune, qui est la plus essentielle et la plus vraie : elle aspire à parler un langage si simple qu'il puisse être compris des moins savants et que les plus habiles pourtant n'en épuisent jamais le sens. Le génie français est éminemment psychologique : rien ne nous intéresse autant que de nous connaître, de connaître ceux avec qui nous vivons, de former avec eux une société intellectuelle en apprenant comme eux à nous conduire par de mutuels exemples et de mutuelles leçons. Nous sommes toujours à la découverte de notre propre moi, nous craignons qu'il ne nous échappe par défaut de lucidité ou par excès d'application. Nous connaissons mieux que personne tous les détours et tous les tourments de l'amour-propre. Mais nous aspirons à nous en délivrer. Notre moi veut s'arracher à la solitude, au lieu de s'y enfermer : il cherche à se porter naturellement vers ce sommet de lui-même où il entre en commerce avec tout ce qui est, avec les choses, dont il fait les véhicules de ses desseins, avec les idées, qui lui en donnent une sorte de possession intellectuelle et dépouillée, avec les autres êtres qui sont les témoins et les médiateurs de toutes ses pensées, avec Dieu lui-même, qui est comme une vérité omniprésente dont il a besoin pour les soutenir et les justifier. Dira-t-on que le Français n'a pas la tête métaphysique ? Mais on lui reproche aussi d'introduire la métaphysique partout, jusque dans ses actions les plus familières et dans ses discussions les plus futiles, tant il est vrai qu'il ne peut jamais se passer de ce contact avec l'absolu qui, seul, donne à son esprit l'apaisement et la sécurité. Seulement, il ne conçoit jamais cet absolu que comme devenant présent à sa conscience elle-même, à mesure qu'elle s'aiguise et qu'elle s'approfondit. La vie est pour lui un dialogue du moi avec l'absolu et la métaphysique, une psychométaphysique.

On le voit bien quand on examine les philosophes les plus représentatifs de notre pays depuis Descartes. Que nous nous soyons reconnus en lui depuis trois siècles, malgré quelques éclipses, que l'on tente de s'en prendre à lui aujourd'hui comme si la France voulait s'en prendre à elle-même de ses propres malheurs, c'est le signe sans doute qu'il y a dans sa doctrine une expression profonde des besoins de notre esprit, qui sont les besoins même de l'esprit humain, à condition qu'on ne se risque à aucune interprétation qui la défigure. La gloire de Descartes, c'est d'avoir retrouvé à jamais cette expérience de l'intériorité qui est sans doute l'expérience du moi par lui-même, mais d'un moi qui, en s'identifiant avec la pensée, exige de lui-même qu'il s'élargisse au delà de l'opinion, au delà de l'amour-propre, jusqu'à la mesure d'une vérité qui est la même pour tous. Le célèbre « je pense », dont on a tant abusé et tant médit, ne se soutient que par son rapport avec une pensée infinie dont il participe et sans laquelle il ne serait rien. Et notre moi lui-même, loin d'être comme un îlot séparé dans l'immense univers, s'enracine en lui par le corps, où il risque toujours de devenir l'esclave des passions, et ne s'en délivre que pour se soumettre à un ordre qui le dépasse et que le rôle de la raison est de reconnaître plutôt que de créer. Notre liberté s'exerce entre ces deux extrêmes ; et l'y a une sagesse cartésienne qui la guide, et que chacun de nous met à l'épreuve dans tous les événements de sa vie quotidienne.

Malebranche a moins de gloire, mais il est peut-être notre plus grand philosophe : car nul autre sans doute n'a été un psychologue aussi attentif, ni un métaphysicien aussi pur. Et sa pensée tout entière est une circulation ininterrompue entre le moi et Dieu. Dissipant l'ambiguïté qui subsistait dans le « je pense » cartésien, que l'on voulait réduire tantôt au moi individuel, tantôt à la pensée désincarnée, Malebranche conteste à Descartes que le moi lui-même soit la chose du monde la plus aisée à connaître ; je ne connais que des objets, mais si le moi est mien, c'est que je le sens comme mien. Ainsi, toute notre intimité psychologique s'ouvre à nous dans cette pénombre émouvante que nous ne parvenons jamais à rendre tout à fait claire. C'est au-dessus d'elle qu'il faut hausser son regard pour contempler ces idées qui sont la vérité de Dieu, et non point la nôtre, que nous voyons en lui, et non point en nous, pour recevoir de lui cette puissance miraculeuse d'agir selon les occasions qu'il nous propose, dont nous pouvons toujours mésuser et qui nous place toujours à mi-chemin entre la chute et la rédemption.

Voyez plus près de nous ce délicat Maine de Biran, si profond, si tourmenté, si méconnu, et qui ne pouvait être d'aucun autre pays. C'est son corps, d'abord, qui lui impose sa présence sensible, qu'il ne peut renier comme sien et dont il ne parvient pas à vaincre la résistance. Il s'y emploie pourtant et c'est alors que naît en lui le moi véritable, qui ne peut jamais éliminer l'autre et qui poursuit avec lui un dialogue ininterrompu. C'est ce dialogue qui est nous-même, c'est-à-dire une incessante confrontation en nous de l'activité et de la passivité. Mais si la passivité vient du corps et appartient encore à notre expérience psychophysiologique, l'activité, c'est-à-dire la volonté, vient elle-même de plus haut. C'est nous seul qui en disposons : et c'est au point où elle s'introduit que nous pouvons véritablement dire je ou moi. Et pourtant cette activité laborieuse, toujours vouée à l'effort et souvent à l'échec, appelle une passivité nouvelle qui nous en délivre et qui l'achève. Celle-ci est de sens opposé à la passivité du corps, elle est comparable à l'inspiration et à la grâce. Et dans son exercice le plus parfait, la liberté ne peut que la reconnaître et lui être docile.

Parmi les philosophes d'hier, il suffit d'évoquer les noms de Ravaisson et de Lachelier pour retrouver la même atmosphère : l'un et l'autre ont peu écrit, bien que leur influence ait été grande ; mais elle a été un effet de la direction de leur pensée plutôt encore que de leur doctrine. Ravaisson est un chaînon entre Biran d'une part, Lachelier et Bergson de l'autre. Ce qu'il essaie d'atteindre au fond de notre moi, c'est cette activité même par laquelle il ne cesse de se réaliser, qui le constitue, mais qui le dépasse, qui engendre dans la nature les formes si variées de la vie et qui, dans notre conscience, ne cesse de créer de nouvelles inventions spirituelles, tendue tout entière entre un haut et un bas, un bas qui menace toujours de la retenir, un haut vers lequel elle cherche sans cesse à se hisser, formant indéfiniment des habitudes qui, selon l'usage qu'elle en fait, l'emprisonnent ou la délivrent, et abaissent ou élèvent le ton même de notre vie, retrouvant enfin dans la beauté qu'elle contemple ou quelle produit cette incarnation sensible qui lui permet de s'accomplir et de faire éclater entre l'esprit et les choses une admirable consubstantialité.

Lachelier, dans un tour plus intellectuel et plus austère, cherchait lui aussi cette pure activité spirituelle qui fonde notre moi individuel et qui l'élève pourtant au-dessus de lui-même. Il examinait les étapes successives de son développement, depuis le mécanisme qui ne peut subsister sans la vie dont il est l'instrument, jusqu'à la liberté qui suppose la vie et lui donne sa raison d'être. Mais la liberté elle-même, qui est la cause de ce que nous sommes, nous laisserait enfermé dans les limites de la nature si elle n'était pas une union actuelle avec cette opération infinie par laquelle le monde se fait en nous permettant de nous faire.

On voit assez bien maintenant comment Henri Bergson et M. Édouard Le Roy se trouvent au point d'arrivée d'une lignée de penseurs d'inspiration spécifiquement française et pour lesquels la vérité ne peut être découverte que par une réflexion de la conscience sur elle-même, dans une analyse de ses propres rapports avec tout ce qui est, dans une sorte d'incessante communication entre une nature qui nous donne la vie, mais nous assujettit à ses fins, et une liberté qui est la marque de notre indépendance et comme la touche de l'esprit pur.

La philosophie pourtant est l'œuvre commune de tous les hommes qui, à travers les différences de temps et de lieu, sont comme un seul homme qui cherche à accroître la conscience qu'il a de lui-même et de l'univers. Les philosophies des autres peuples sont des ferments qui éveillent en nous des puissances cachées. L'histoire nous apporte non point des idées mortes, mais des idées qui se sont peu à peu obscurcies et qui, dès qu'elles se montrent de nouveau à la lumière, ressemblent à une révélation. Mais la philosophie est toujours actuelle et personnelle : il n'y a de philosophie que d'aujourd'hui, celle que je puis maintenant penser et vivre. La philosophie la plus ancienne, dès qu'un esprit s'en empare, recommence une autre carrière comme s'il l'avait lui-même créée. Elle traduit ce qu'il y a en nous d'intime, d'unique et presque d'ineffable : et nous savons que ce secret qui nous est propre est aussi le secret de tous. Elle est universelle comme la science, non point de cette universalité manifestée, dont la présence de l'objet est pour ainsi dire le gage, mais de cette universalité invisible à laquelle chacun accède selon la pureté de son attention intérieure ; elle est l'objet d'une méditation solitaire, mais qui est offerte à tous les hommes et pour laquelle ils se prêtent un mutuel secours. De même la vérité philosophique n'appartient à aucun temps, mais c'est en nous arrachant au temps qu'elle répond le mieux aux exigences du temps présent. Nul autre temps sans doute n'a ressenti autant que le nôtre le besoin de la philosophie, non point que personne songe à l'invoquer pour qu'elle le divertisse ou le console, car la philosophie est toujours le contraire d'une évasion, mais pour qu'elle lui donne une conscience virile de la signification de l'existence humaine, pour qu'elle lui apprenne à retrouver, derrière les événements qui le meurtrissent, cette activité de l'esprit qui le constitue et qui seule peut lui permettre de les transformer pour en faire les chemins de sa destinée et les moyens de son accomplissement.

Il est vain de vouloir limiter l'ambition de la recherche philosophique ; car si, au delà de toutes les apparences qui suffisent à la vie du corps, elle ne nous donne pas un contact avec l'absolu, soit qu'elle prétende nous le faire connaître ou seulement nous le faire pressentir, ou, ce qui vaut mieux encore, lui assujettir notre pensée et notre action, alors elle est un objet de vaine curiosité, un jeu de notre pensée qui ne vaut pas une heure de peine. Mais aussitôt le doute commence : car cet absolu vers lequel tendent toutes nos aspirations n'est-il pas hors d'atteinte, et si nous l'atteignons, ne va-t-il pas nous décevoir ? En nous, hors de nous, nous ne trouvons que des choses relatives : ce sont elles qui forment le champ de notre connaissance et de notre conduite. Et si nous les abandonnions au profit de cet absolu dont on nous parle, notre vie ne serait-elle pas arrêtée et comme bloquée dans une sorte de perfection immobile qui ne se distinguerait plus pour nous de l'anéantissement ? Nous voulons que notre vie subsiste et même que toutes ses puissances se multiplient et se fortifient, et nous voulons en même temps être assurés qu'elles tiennent à l'absolu aussi bien par la source dont elles procèdent que par les effets qu'elles produisent. Or cela n'est point impossible, mais à condition que l'absolu soit au cœur de la vie et non point au delà. On peut même dire que nous en avons une sorte d'expérience, à condition de diriger notre regard non point vers les choses du dehors qui ne cessent de passer devant nos yeux comme un spectacle évanouissant, mais vers le dedans de notre conscience sans lequel elles ne seraient rien et qui nous permet de les penser toutes.

Or que nous découvre cette expérience intérieure où nous n'avons plus aucun objet sur lequel notre attention vienne se poser ? Elle nous découvre une activité que nous exerçons, dont nous pouvons bien dire qu'elle est une activité de pensée, puisqu'elle se pense comme elle pense tout ce qui peut être, mais qu'il faut décrire comme une activité plus encore que comme une pensée, ou qui n'est une pensée que parce qu'elle est une activité et qui ne cesse de se donner l'être à elle-même, comme elle le donne à tout ce que nous sommes capable de connaître ou de vouloir. Elle est la découverte de l'absolu de nous-même qui est un absolu vivant et qui n'est le phénomène de rien. Nous sommes ici en présence de l'esprit, c'est-à-dire du secret d'une liberté qu'il est impossible de violer ou de forcer, d'une faculté de disposer du *oui* et du *non*, de consentir ou de refuser, par laquelle je m'engage tout entier et deviens l'auteur de ce que je suis. Elle est l'absolu d'un premier terme avec lequel tout commence et non pas d'un dernier terme avec lequel tout est consommé.

Pourtant cette liberté ne peut pas être considérée comme isolée : le propre de la philosophie, ce n'est pas seulement d'en régler l'emploi, c'est aussi de montrer quelles sont les conditions qu'elle suppose et sans lesquelles elle ne pourrait ni être ni agir. La méthode de la philosophie ne peut pas être, comme on l'a cru souvent, de partir des choses les plus basses, dont on peut dire qu'elles possèdent à peine l'existence, pour montrer comment les choses les plus hautes en émergent tour à tour. Ce serait partir encore de celles-ci et chercher à les réduire en laissant croire qu'on les produit. Elle est de s'établir au point culminant où la conscience peut parvenir, où son attention est la plus distincte et son activité la la plus pure, afin de décrire d'abord les régions obscures qu'il lui a fallu traverser avant de l'atteindre, et qui forment la base même qui la supporte, puis les régions transparentes vers lesquelles elle continue à s'élever, où elle reçoit le plus de lumière et d'où elle découvre le plus vaste horizon.

Ainsi c'est en nous-même qu'est le premier terme de la recherche philosophique ; ce n'est ni dans un terme plus primitif et plus simple dont nous prétendrions dériver et nous-même et le monde, mais en dissimulant que nous les connaissions déjà, ni dans un acte infini et sublime qui aurait créé toutes choses de rien et dont nous ne pouvons rien savoir que par sa relation avec nous, pas même le dessein qu'il aurait eu de nous créer. Mais ce qu'il faut ici entendre par nous-même, ce n'est pas ce moi étroit et égoïste enfermé dans sa conscience comme dans une cellule et qui refuse tout ce qui le déborde, ou ce moi plein d'ambition et d'orgueil qui prétend tirer de lui-même la totalité de l'univers représenté. C'est le moi vivant dont il s'agit de scruter la complexité et les exigences, qui a le sentiment à la fois de son initiative et de sa dépendance, qui fonde son existence non point en se séparant de l'univers, mais en communiquant avec lui, qui est toujours à la fois donnant et recevant, qui appelle enfin toutes les autres existences pour le soutenir. La philosophie pourrait donc être justement nommée, si le mot de science pouvait lui convenir encore, la *science de la conscience* par opposition à toutes les sciences qui portent sur des objets. Seulement la conscience, loin d'être une fermeture du moi sur lui-même est cette ouverture du moi sur le tout sans laquelle le moi ne serait rien.

Mais d'où vient le privilège de la conscience par rapport à tous les objets auxquels elle s'applique, alors que tous les objets paraissent avoir une sorte de subsistance qui permet de les montrer et de les saisir, au lieu que la conscience qui les montre et qui les saisit ne peut être elle-même ni montrée ni saisie ? S'il faut dire qu'elle se cache, c'est comme la lumière dans laquelle nous voyons tous les objets plutôt que nous ne la voyons elle-même. Mais si elle ne se détache pas de nous pour que nous puissions la contempler comme un spectacle, c'est parce qu'elle est ce spectateur qui est nous-même. Et ce nous-même, c'est le seul point du monde où l'être et le connaître, au lieu de s'opposer, coïncident : telle est la raison pour laquelle l'expérience que chacun a de son propre moi est si émouvante ; ce n'est point seulement parce que ces mots moi et mien intéressent un fragment d'être avec lequel je me confonds, c'est parce qu'en me confondant avec lui, je pénètre pour mon compte dans l'absolu même de l'être. Alors tout le reste n'est plus pour moi que phénomène.

Non point aussitôt toutefois, comme on le pense presque toujours. Car penser, pour moi, c'est poser d'autres êtres comparables à moi, pourvus comme moi d'initiative et de conscience. Nous découvrons les personnes avant de découvrir les choses. L'enfant, le primitif, personnifient tout ce qu'ils voient ; et nous avons souvent besoin d'un peu d'application pour ne pas les imiter. Et le problème n'est point de savoir comment nous pouvons trouver qu'il y a d'autres personnes dans le monde, mais comment nous pouvons trouver qu'il y a des choses, qui ne soient rien de plus que des choses. Penser le moi d'un autre, ce n'est pas en acquérir la représentation dans sa conscience, car on ne se représente que des objets, c'est le poser en effet comme un autre en vertu de ce même pouvoir que j'ai de me poser moi-même, par un acte de liberté qui me fait tel que je suis et pourrait me faire autre que je ne suis, et qu'il me faut nécessairement appliquer à vous, dès que je commence à avoir avec vous d'autres rapports qu'avec les choses, dès que j'entretiens avec vous un commerce qui ne peut exister qu'entre des consciences, dès qu'au lieu de songer seulement à vous utiliser et à vous modifier, comme je le fais pour les choses, j'attends de vous une demande ou une réponse, une communication ou un don, cette attention tournée vers moi et cette intention de réciprocité qui créent entre nous une société spirituelle de tous les instants. C'est cette société entre les consciences qui constitue la véritable réalité : par opposition à une chose, qui n'est jamais qu'un phénomène, nous disons justement un être chaque fois que nous avons affaire à une autre conscience, capable de dire moi. Il n'y a pas d'autre existence que celle qui est intérieure à elle-même et possède ce double pouvoir non seulement de connaître et de choisir, mais de se connaître et de se choisir.

Il semble donc que la réflexion philosophique doive suivre une marche inverse de celle à laquelle on est naturellement incliné. Car on pense presque toujours que l'existence, ce sont ces objets matériels que nous voyons et que nous touchons et sur lesquels portent toutes nos actions. Mais notre intention ne s'arrête jamais sur eux. Ils ne sont pas la substance du réel, mais seulement les instruments de notre vie. Loin de juger que l'être véritable puisse résider dans cette machinerie qui nous est donnée en spectacle, qui produirait, par on ne sait quelle complication et on ne sait quel raffinement inutile, la conscience que nous en avons, comme une lueur fortuite et périssable, il faut que nous considérions la conscience comme l'être même pris à sa source, dans sa double essence explicative et constitutive, et le monde entier, dont nous pensions qu'il fondait sa possibilité, comme n'ayant de sens que pour elle et par rapport à elle.

Seulement nous ne pouvons nous empêcher de croire que, cette vérité une fois découverte, c'est vers le monde matériel qu'il faut nous retourner aussitôt ; et c'est lui qui requiert désormais toutes nos préoccupations. C'est ainsi que se sont infléchies trop souvent les philosophies de la conscience. Et ce monde qu'elles nous avaient fait quitter, elles n'aspirent presque aussitôt qu'à le retrouver. On ne le subordonne que pour le connaître ; mais il reste la fin de toutes nos pensées. C'est là une illusion dont il est difficile de se délivrer.

Pourtant ma conscience n'a de commerce qu'avec d'autres consciences, et non point avec les choses, bien que celles-ci leur servent à toutes d'obstacle et de point d'appui. Et quand nous nous demandons quel est le monde réel dans lequel nous habitons, ce n'est point cette sorte d'immense désert des choses qui s'étend depuis notre corps jusqu'aux étoiles, qui nous demeure étranger, quelle que soit sa beauté ; c'est cette société vivante que nous formons avec nous-même et avec toutes les autres consciences, qui est invisible et mobile à la fois, mais qui est telle pourtant qu'il n'y a rien en elle d'indifférent, qu'elle donne un sens à tout ce que nous faisons, qu'elle est le lieu de toutes les initiatives, de tous les appels que nous pouvons faire et de toutes les réponses que nous pouvons recevoir, qu'elle nous révèle l'infinité d'une solitude qui est la nôtre, et qui pourtant est la vôtre et celle de tous. En cet instant même où je parle, n'est-ce pas le réel que nous touchons dans cette communication entre nos pensées où nous faisons ensemble une sorte d'épreuve idéale de notre destinée ? Par comparaison, le monde qui nous entoure ressemble à un décor.

Il importe par conséquent que la philosophie, dont nous avons dit qu'elle était la science de la conscience, étudie des relations des consciences entre elles, qui constituent le monde spirituel, avant de s'appliquer au monde matériel qui n'est rien que par elles et qui est appelé seulement à leur fournir le langage par lequel elles s'expriment et les moyens par lesquels elles agissent les unes sur les autres et réussissent à se comprendre. Il lui appartient de déterminer les lois de cette société des esprits hors de laquelle aucun esprit ne peut vivre, qui sont, si l'on peut dire, les lois de la communauté des êtres libres par opposition aux lois de la nature, qui sont les lois de l'enchaînement des choses nécessaires. C'est là une recherche encore neuve, comme si on n'avait pas osé l'entreprendre, ou comme si on avait pensé que la vie suffisait à mettre ces lois en œuvre, sans que la conscience ait à s'occuper de les découvrir. On en trouve des fragments dans les œuvres des moralistes. Mais ce qu'il importe d'abord de connaître, c'est qu'on ne peut passer de la subjectivité à l'objectivité que par le moyen de l'intersubjectivité.

Après avoir pris accès dans ce monde de l'intériorité, qui est le seul monde réel, on s'aperçoit bien vite qu'il est impossible de le quitter : c'est cette observation qui a donné naissance à l'idéalisme. Mais l'intériorité est à la fois nous et au delà de nous. Elle est en vous comme en moi. Ce qui nous sépare, c'est la matière, et non point l'esprit ; c'est elle dont le caractère fondamental est l'impénétrabilité. Car le propre de l'esprit est de pénétrer partout, dans la mesure précisément où il n'est pas retenu et aveuglé par elle. Ainsi, pour ce moi que je suis, lié à un corps et réduit à l'amour-propre, sortir de soi, c'est s'intérioriser davantage. Alors aussi je vous deviens en quelque sorte présent. Nous cessons d'être séparés pour devenir unis, non point dans une unité inerte qui abolit nos différences, mais dans une unité active qui les produit, en les obligeant à coopérer et à se soutenir. Une telle rencontre entre deux esprits, c'est la découverte de leur double participation à l'esprit pur avec lequel ils ne coïncident point, pas plus qu'ils ne coïncident l'un avec l'autre, mais qui ne cesse de leur fournir, avec la lumière qui les éclaire, la liberté dont ls disposent et dont ils peuvent user tantôt pour surmonter la séparation et tantôt pour l'aggraver. De telle sorte que les lois du monde spirituel, sans pouvoir jamais être violées, fournissent à notre liberté les conditions de son exercice, tout comme les lois du monde matériel fournissent à nos besoins les moyens de se satisfaire et que, dans ces deux mondes, il n'y a rien qui puisse nous être donné et qui ne soit en rapport avec un acte qui dépend de nous seul, mais où la totalité du réel se trouve toujours engagée.

C'est alors seulement que nous avons le droit de revenir vers les choses matérielles et de nous demander quel est le sens que nous pouvons leur donner. Ou plutôt il faut dire que ce sens se trouve déjà impliqué dans la constitution même de l'univers des consciences. Quand le regard essaie d'embrasser le spectacle que les choses lui offrent, il ne peut jamais les considérer comme se suffisant à elles-mêmes : elles n'ont pour moi d'existence que dans leur rapport avec moi ; c'est ce que j'exprime en disant qu'elles sont des phénomènes. Mais cette affirmation ne peut me contenter. Dès lors il y a trois attitudes que l'on peut prendre en face d'elles : l'attitude du primitif qui les personnifie, qui les considère comme chargées d'intentions à son égard, comme bienveillantes ou hostiles, et qui essaie de se concilier leur faveur ou de conjurer leur malice. Il vit dans un monde mystérieux peuplé d'âmes dont il ne connaît pas les desseins et par lesquelles il se sent parfois protégé et presque toujours menacé. Il y a l'attitude du savant qui n'envisage dans le phénomène que ce qu'il peut nous montrer : en lui ôtant toute existence spirituelle, il le réduit à l'inertie pure, il ne lui laisse de rapport qu'avec son propre corps par lequel, il est vrai, il peut agir sur lui de manière à en faire un instrument qui le prolonge et multiplie indéfiniment sa puissance ; le monde matériel alors n'a de sens que pour que nous puissions le conquérir et nous en servir. Tel est le point où Descartes encore s'était arrêté. Mais il y a une troisième attitude qui change nos rapports avec ce monde : c'est celle qui, le confrontant sans cesse avec chaque conscience, trouve en lui non pas seulement le point d'application de son activité, mais le moyen pour elle de porter témoignage aux yeux de toutes : en ne cessant jamais de les séparer, il leur permet pourtant de communiquer entre elles à la fois par l'expérience qu'elles en ont et qui est comme une médiation entre leurs pensées, et par les modifications qu'elles lui impriment et qui sont comme autant de médiations entre leurs volontés.

En prenant les choses sous cet aspect, on s'aperçoit qu'il est impossible d'épuiser la richesse significative du monde matériel : il est intentionnel comme pour le primitif, mais parce qu'il est le porteur possible de l'intention d'une autre conscience à l'égard de la mienne ; il est l'objet inerte de mes entreprises comme pour le savant, mais à condition qu'il y ait une conscience qui décide de cette entreprise au nom de la valeur et non pas seulement de la réussite. Mais il est bien davantage : témoin, médiateur, obstacle et instrument tout à la fois, véhicule de tous mes desseins et épreuve qui les juge, il change de forme selon ce que j'en attends ou ce que je lui demande, pour me découvrir, dans le désintéressement d'une contemplation absolument pure, cette complicité secrète avec toutes les puissances de mon âme qui fait éclater une beauté ignorée jusque dans ses parties les plus humbles et les plus communes.

Telles sont, Mesdames et Messieurs, les lignes générales qui définissent l'enseignement que nous voudrions donner. Chercher l'absolu en soi et non hors de soi, dans l'expérience la plus intime, la plus profonde et la plus personnelle, mais un absolu dont nous ne faisons que participer, qui du moins fonde notre existence même dans une communication toujours nouvelle avec tous les êtres par l'intermédiaire de toutes les choses ; relever la dignité d'une psychologie qu'une certaine science et qu'une certaine métaphysique nous ont également appris à mépriser ; ne point rejeter l'intelligence comme on est tenté de le faire, quand son rôle est de nous révéler les maux dont nous souffrons, mais non pas de les produire ; ne se confier à l'émotion que quand elle s'est purifiée dans la lumière de la pensée : telles sont les exigences de la pensée française auxquelles nous voulons demeurer fidèle. Ce n'est point en évitant le contact avec l'absolu, mais en essayant de le retrouver dans chacune des démarches de notre vie, que nous donnerons à celle-ci sa véritable signification, qui doit nous rendre capable de mesurer son poids et d'accepter de le porter.

Ce sont là aussi les raisons qui expliquent le sujet de cours que nous avons choisi cette année : en étudiant l'existence, nous essaierons d'acquérir la conscience la plus lucide et la plus dépouillée de cet acte même qui nous permet de dire moi, qui nous replace au milieu du monde, mais en nous donnant cette intimité unique et secrète qui fait paraître le monde tout entier comme un spectacle étranger avant que nous trouvions au fond de nous-même une intimité plus reculée encore et qui est commune à tous les êtres ; nous chercherons à décrire toutes les conditions que cet acte suppose et qui nous obligeront à retrouver, dans leurs relations avec nous, tous les aspects de la réalité, telle qu'elle nous est donnée dans une expérience familière dont le sens nous échappe presque toujours ; nous montrerons que cet acte n'est d'abord qu'une possibilité qu'il dépend de nous de réaliser, mais que c'est lui qui engage notre responsabilité et qui fixe notre destin.

C'est pour cela que le problème de l'existence ne peut pas être dissocié du problème de la valeur. Toute la réflexion philosophique gravite autour de ces deux questions : qu'est-ce qu'exister, et plus précisément, qu'est-ce pour moi qu'exister ? Et si l'existence elle-même ne peut pas être récusée, à quoi bon cette existence ? Possède-t-elle une valeur qui la justifie, qui mérite qu'on accepte de la vivre et qu'on y consacre tous ses soins ? Mais cette question même est pleine de périls. Car on peut y répondre par la négation, ce qui produit le scepticisme et le pessimisme, qui sont les deux formes du désespoir. Pourtant il serait vain d'exiger que notre vie possédât une valeur par elle-même indépendamment de cet acte libre qui est son essence véritable, et que nul être au monde ne peut accomplir à notre place. Dès que cet acte cesse, dès qu'il commence à fléchir, tout nous est à charge. Les plus belles choses deviennent pour nous insignifiantes. Dès qu'il s'exerce au contraire, le monde retrouve la consistance et le relief qu'il avait perdus. C'est que l'esprit introduit la valeur avec lui dans chacune de ses opérations : il nous oblige tout ensemble à la découvrir et à la produire. Alors elle devient pour nous l'être même, dont nous n'avions perçu jusque-là que l'apparence ; et il suffit qu'elle se retire pour qu'il ne subsiste plus que l'apparence, l'écorce sans le fruit.

Métaphysicien français. Professeur à Strasbourg, puis à la Sorbonne (1932-1934), enfin au Collège de France. Louis Lavelle commence par la psychologie philosophique : La Perception visuelle de la profondeur et La Dialectique du monde sensible (Strasbourg, 1921). Son oeuvre comprend en outre : La Dialectique de l'éternel présent : de l'Être (1928) ; La Conscience de soi (1933) ; La Présence totale (1934) ; Le Moi et son destin (1936) ; De l'acte (1937) ; Le Mal et la souffrance (1941) ; Du temps et de l'éternité (1945) ; Quatre Saints (1951) ; De l'âme humaine (1951) ; Traité des valeurs (2 vol., 1951-1955). Dans son discours de réception et leçon inaugurale faite au collège de France, il revient sur les principaux domaines de prédilection dont la métaphysique de l'Etre. L'attitude préférée de Lavelle est celle de l'émerveillement. Son message, à l'égard de l'Être auquel nous participons, est celui d'un « optimisme de confiance » ; à laquelle cette leçon inaugurale fait écho.

9 EUR